Chat Tigré veut tout!

Ecrit par Moira Butterfield

Illustré par Rachael O'Neill

Chat Tigré vit à la Petite Ferme. Il a l'air très doux et pourtant quelquefois il peut se montrer un chat très égoïste, qui veut tout pour lui.

Un jour, il aperçoit Petit Chien qui court après sa balle dans la cour de la ferme.

- Je veux cette balle ! dit-il, et il la prend au pauvre Petit Chien.

Puis Chat Tigré aperçoit Petit Agneau qui dort dans un coin bien au soleil.

- Je veux ta place ! dit Chat Tigré, et il pousse Petit Agneau pour s'installer au soleil.

Puis Chat Tigré aperçoit Petit Cochon qui porte un nœud rouge très chic.

- Je le veux ! dit Chat Tigré, et il défait le ruban pour s'en emparer.

Chat Tigré trouve la boîte qui contient le déjeuner du fermier. Elle contient plusieurs sandwiches délicieux.

- Je les veux ! pense le petit chat avide, et il les engloutit tous.

Quand le fermier revient, tous ses sandwiches ont disparu.

    - Je sais qui les a mangés ! dit-il en colère. Il y a des empreintes de pattes de chat sur la boîte !

Le fermier voit que Petit Chien a l'air triste.
- Qui t'a pris ta balle ? demande-t-il.
Il aperçoit Petit Agneau qui tremble de froid.
- Qui t'a poussé hors du soleil ? demande-t-il.

Le fermier trouve Chat Tigré qui dort à poings fermés au soleil.

\- Je vais te donner une bonne leçon, petit égoïste ! se dit le fermier.

Quand Chat Tigré se réveille, il a soif.
Il va vers la porte de derrière pour chercher
son bol de lait. Mais le bol a disparu !

Le fermier a donné le bol à Petit Agneau
et il l'a rempli de crème !

- Ce n'est pas juste ! crie Chat Tigré en
colère.

C'est MON bol ! crie-t-il.

Chat Tigré a très faim. Il va chercher son assiette. Non ! L'assiette a disparu elle aussi !

Le fermier a donné l'assiette à Petit Cochon.
- C'est MON assiette, s'écrie Chat Tigré en colère. Rends-la moi !
- Trop tard, j'ai tout mangé ! dit Petit Cochon.

Chat Tigré est si en colère qu'il ne parle plus à personne. Il retourne la tête basse à la ferme pour s'installer sur son coussin.
Oh non ! Il a disparu lui aussi !

Le fermier a donné le coussin à Petit Chien.
Il le mordille, au lieu de se coucher dessus !
  - Rends-le moi ! crie Chat Tigré.
  - Non, je l'aime bien ! dit Petit Chien.

Chat Tigré est très malheureux. Toutes ses affaires préférées ont été données aux autres, et il ne peut rien y faire.
- CE N'EST PAS JUSTE ! crie-t-il.

- Oh si, c'est juste, dit le fermier. Je t'ai traité exactement comme tu as traité tes amis. Maintenant, tu sauras l'effet que ça fait quand on te prend tes affaires sans te les demander !

- Oh là là ! je ne veux plus des affaires des autres. Je veux les miennes ! s'écrie Chat Tigré. Si je rends ce que j'ai pris, est-ce que je pourrais avoir mon bol, mon assiette et mon coussin ?

- Mmmm, d'accord, dit le fermier. Je vois que la leçon a porté ses fruits.

Et il rend à Chat Tigré son bol, son assiette et son coussin.

- Merci ! dit Chat Tigré. Je veux...
- Oh non ! Qu'est-ce que tu veux, maintenant ? s'écrie le fermier.

Chat Tigré le regarde en souriant.
- Je veux simplement dire que je suis désolé ! fait-il.